CW00695058

Un día en Valencia
UN DÍA, UNA CIUDAD, UNA HISTORIA
ERNESTO
RODRÍGUEZ

difusión

Colección *Un día en...*

Autor
Ernesto Rodríguez

Coordinación editorial
Pablo Garrido

Redacción
Carolina Domínguez

Documentación
Gema Ballesteros

Corrección ortotipográfica
Agnès Berja

Diseño y maquetación
Oriol Frias

Traducción
Anexiam

ISBN: 978-84-17249-64-9

Impreso en España por Novoprint

C/ Trafalgar, 10, entlo. 1ª
08010 Barcelona
Tel. (+34) 93 268 03 00
Fax (+34) 93 310 33 40
editorial@difusion.com

www.difusion.com

Fotografías
Cubierta vincent desjardins/Flickr; **p. 4** Misirliahmet/Dreamstime.com, Dmitry Kalinovsky/Dreamstime.com, Fotoplanner/Dreamstime.com, Marietatiant/Dreamstime.com, ARSELA/iStock / Getty Images Plus, Inge Hogenbijl/Dreamstime.com; **p. 5** Venusangel/Dreamstime.com, Pioneer111/Dreamstime.com, michael meijer/istockphoto.com, Iryna Kolesova/Dreamstime.com, Patryck Kosmider/istockphoto.com, Konstantin Kirillov/Dreamstime.com, Oleg Dudko/Dreamstime.com, Efesan/Dreamstime.com, Thodonal/Dreamstime.com; **p. 6** caroljulia/istockphoto.com; **p. 7** Boris Breytman/Dreamstime.com; **p. 9** Ileanaolaru/Dreamstime.com; **p. 12** fcafotodigital/istockphoto.com; **p. 13** Fabio Bernardi/Dreamstime.com; **p. 14** Rosshelen/Dreamstime.com; **p. 15** Emmeci74/istockphoto.com, Lunamarina/Dreamstime.com, Salva Cubells/Dreamstime.com; **p. 16** ewg3D/istockphoto.com, Ievgen Kononenko/Dreamstime.com, Pogonici/Dreamstime.com, Tatyana Vychegzhanina/Dreamstime.com, Alexandr Kornienko/Dreamstime.com, Edwardgerges/Dreamstime.com, anneleven/istockphoto.com, Tyler Olson/Dreamstime.com; **p. 17** Glover/Dreamstime.com, Nadezda Ledyaeva/Dreamstime.com, atiatiati/istockphoto.com, Oleg Dudko/Dreamstime.com, Phanuwatn/Dreamstime.com, Lloyd Luecke/Dreamstime.com, Rosshelen/Dreamstime.com; **p. 18** Iakov Filimonov/Dreamstime.com; **p. 20** Alfonsodetomas/Dreamstime.com; **p. 21** efesan/istockphoto.com; **p. 22** Lunamarina/Dreamstime.com; **p. 25** Luis Rogelio HM/Flickr; **p. 26** efesan/istockphoto.com; **p. 27** Jorgefontestad/istockphoto.com, Jorgefontestad/istockphoto.com, Lunamarina/istockphoto.com; **p. 28** Lensical/Dreamstime.com, Magdalena Ruseva/Dreamstime.com, Jose Manuel Gelpi Diaz/Dreamstime.com, lunanaranja/istockphoto.com, Yorgi67/Dreamstime.com; **p. 29** Akiyoko74/Dreamstime.com, RyanJLane/iStock / Getty Images Plus, Kelpfish/Dreamstime.com, Msalena/Dreamstime.com, Luis Miguel Jimenez Jimenez/Dreamstime.com, Pablo Escanilla Maroto/Dreamstime.com, Luis Louro/Dreamstime.com, Fernando Cortés/Dreamstime.com; **p. 30** Andrei Bortnikau/Dreamstime.com; **p. 31** Radub85/Dreamstime.com; **p. 34** Saaaaa/Dreamstime.com; **p. 36** fcafotodigital/istockphoto.com, Oleg Doroshin/Dreamstime.com, Ruslan Gilmanshin/Dreamstime.com, Birgit Reitz Hofmann/Dreamstime.com, Benjamas11/Dreamstime.com, Ljupco/Dreamstime.com, HombreDHojalata/wikipedia, Creativeimpression/Dreamstime.com, Broker/Dreamstime.com; **p. 38** Amandineloir/Dreamstime.com; **p. 39** francisgonsa/istockphoto.com, Nikolais2501/Dreamstime.com, Juan Moyano/Dreamstime.com, Jose Manuel Gelpi Diaz/Dreamstime.com, Inara Prusakova/Dreamstime.com, Jeffoto/istockphoto.com, Antonio_Diaz/istockphoto.com, Vitmark/Dreamstime.com, andresr/istockphoto.com; **p. 41** Dmitri Pravdjukov/Dreamstime.com, Parkinsonsniper/Dreamstime.com, Ruslanchik/Dreamstime.com, Thelightwriter/Dreamstime.com, Katatonia82/Dreamstime.com, IrKiev/istockphoto.com, Yorgi67/Dreamstime.com; **p. 42** sony2962/istockphoto.com; **p. 45** Boarding 1now/Dreamstime.com; **p. 50** Gábor Kovács/Dreamstime.com; **p. 51** Radub85/Dreamstime.com, Floortje/istockphoto.com, elenaleonova/istockphoto.com.

Un día en Valencia

UN DÍA, UNA CIUDAD, UNA HISTORIA

ÍNDICE

¡Comparte tus fotos y vídeos de la ciudad!

#undiaenvalencia

Audios y soluciones de las actividades en difusion.com/valencia.zip

Diccionario visual Capítulo 1

Cartera

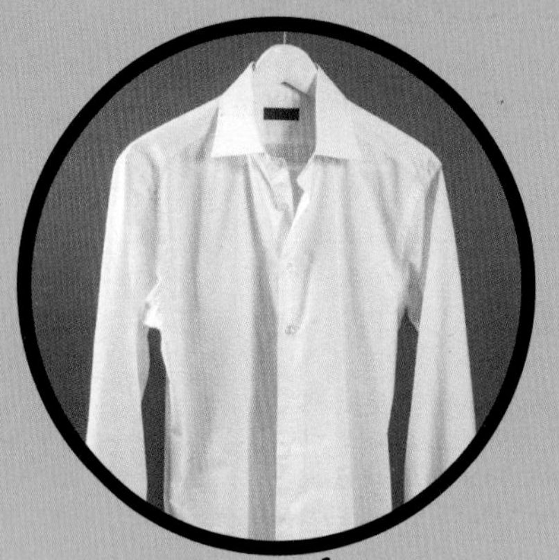

Camisa

Bermudas

Camarero

Terraza

Monedero

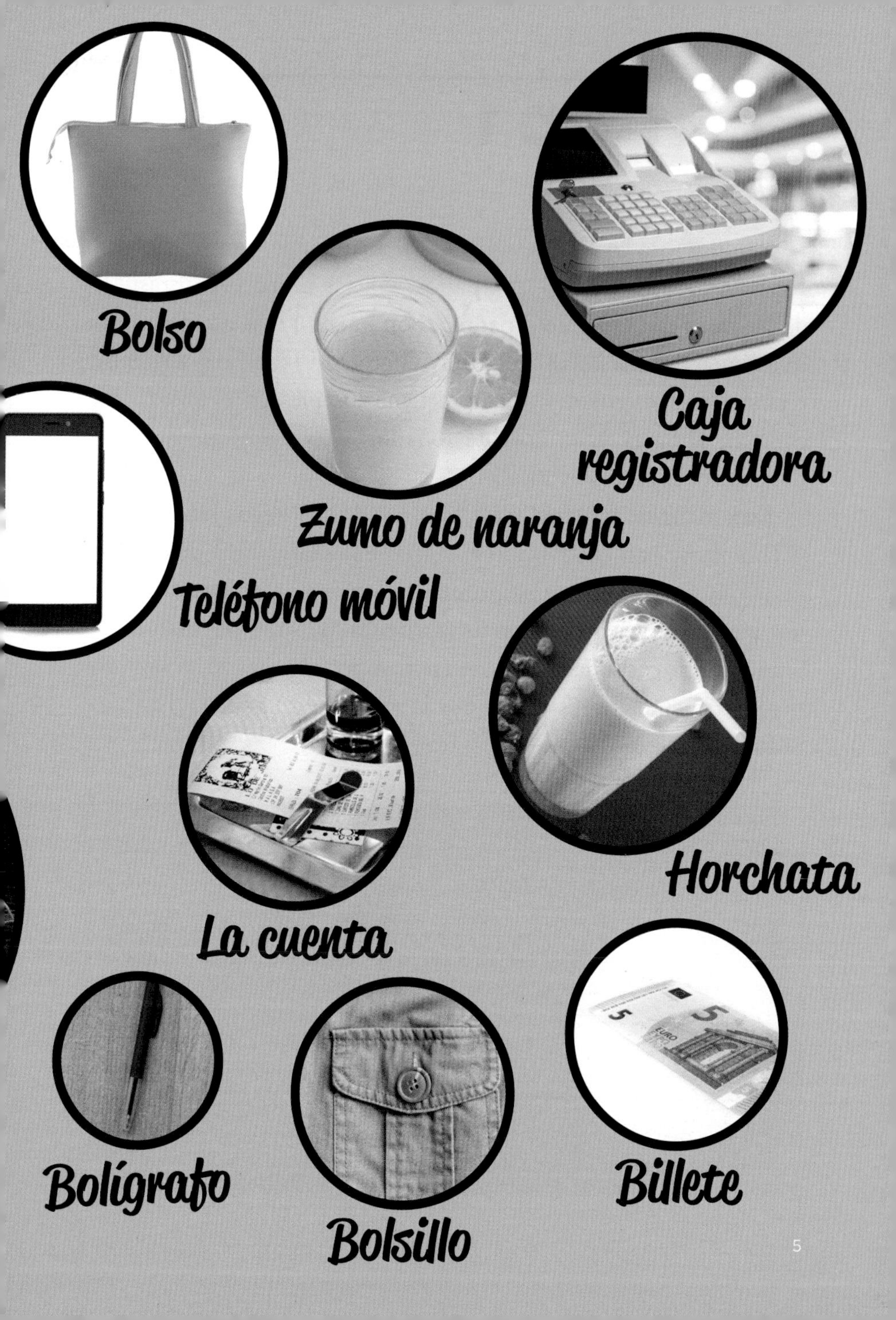
Bolso
Caja registradora
Zumo de naranja
Teléfono móvil
Horchata
La cuenta
Bolígrafo
Billete
Bolsillo
5
EURO

CAPÍTULO 1

Thomas está en Valencia visitando a su amigo Juan Carlos. Se conocen desde hace casi cinco años, gracias a una beca Erasmus de Thomas en la ciudad española. Son muy buenos amigos, aunque tienen dos personalidades muy diferentes: Juan Carlos es muy realista y cuadriculado[1]. Siempre tiene los pies en el suelo[2]. En cambio, Thomas es un hombre soñador[3] e idealista[4] que siempre tiene la cabeza en las nubes[5].

Esta mañana, paseando por la plaza de la Virgen, Juan Carlos y Thomas se han encontrado a María, una compañera de trabajo de Juan Carlos. Thomas ha propuesto tomar una horchata en una terraza que hay justo delante de la catedral de Valencia. Han charlado durante casi una hora y, en ese tiempo, Thomas se ha sentido profundamente impresionado por la amiga de su amigo. ¿Enamorado [6]? Bueno, ¿quién sabe?

Cuando María se tiene que ir, se despide de Juan Carlos y de Thomas, y se aleja[7] por una calle del casco antiguo[8] de la ciudad. Thomas la mira mientras se aleja. Juan Carlos llama al camarero y le pide la cuenta. En este momento, Thomas le dice a Juan Carlos:

—¡Esta chica es fantástica! Creo que he soñado con ella[9] antes...

—¿Sí? ¿Eso crees? —responde Juan Carlos.

—¡Claro que sí! ¿Y sabes qué creo también? Creo que mi destino[10] es estar con ella.

Juan Carlos se ríe y le responde con ironía:

—¡Claro! Tu destino es estar con todas las chicas que te cruzas...

—No tienes que hacer bromas[11] con eso. Yo lo creo de verdad. De todas las mujeres del mundo, conocer a alguien como María... ¡tiene que ser el destino! —dice Thomas.

—¿En serio?

—¡Por supuesto, Juan Carlos! Además, creo que yo también le gusto a ella. ¿Me das su teléfono? La voy a llamar y la voy a invitar a cenar.

—Eres un caradura[12], tú.

La catedral de Valencia

Su historia es la historia misma de la ciudad. Primero templo romano, después catedral visigoda, luego mezquita, la actual catedral es principalmente de estilo gótico valenciano, pero también contiene elementos del románico, del Renacimiento y del Barroco.

—Hablo en serio. Creo que el destino está escrito, y mi destino dice que tú me das el teléfono de María.

—¿De verdad crees en todas esas tonterías[13] del destino? —pregunta Juan Carlos.

—¡Pues claro!

Juan Carlos coge su móvil y busca el teléfono de María en la agenda. Mientras, su amigo alemán habla con el camarero, que ha traído la cuenta.

—Son nueve euros —dice el camarero.

—Pago yo —responde Juan Carlos. Deja el teléfono sobre la mesa y saca su cartera de un bolsillo de sus bermudas. De la cartera saca dos billetes de cinco euros—, ¿tienes un bolígrafo, Thomas?

—No —responde el alemán.

—¿Y usted? —le pregunta Juan Carlos al camarero.

—Sí, aquí tengo uno —el camarero saca un bolígrafo del bolsillo de la camisa y se lo deja a Juan Carlos. Juan Carlos escribe algo en uno de los billetes de cinco euros y le da los billetes al camarero.

—¿Qué has escrito en el billete? —pregunta Thomas.

Pero Juan Carlos no le responde, solo sonríe. El camarero mira el billete con cara de extrañeza[14] y le dice a Juan Carlos:

—Ahora mismo traigo el cambio[15].

—Quédeselo de propina —dice Juan Carlos.

El camarero le da las gracias y se va. Juan Carlos y Thomas se levantan de sus sillas en la terraza y empiezan a caminar por el casco antiguo de la ciudad. Unos minutos después, Thomas le dice a Juan Carlos:

—¿Vas a darme el teléfono de María o no?

Juan Carlos sonríe, coge de nuevo su teléfono móvil y le dice a Thomas:

—De acuerdo, apunta. El teléfono de María es el 684772.

—Faltan tres números —dice Thomas.

—Ya lo sé —responde Juan Carlos—, los tres últimos números de su teléfono los he apuntado en uno de los billetes de cinco euros con los que he pagado las horchatas. Si quieres completar su número, vas a tener que encontrar de nuevo ese billete. Vamos a comprobar si tu destino es realmente conocer a María.

—Eres un cabrón[16], Juan Carlos.

—Solo porque tu destino lo ha escrito así —ríe Juan Carlos.

El billete de cinco euros está en la caja registradora de la cafetería hasta que el camarero se lo da a una señora que ha pagado un zumo de naranja con un billete de diez euros. La señora, que se llama Almudena, lee lo que Juan Carlos ha escrito un rato antes en el billete y le pregunta al camarero:

¿Por qué hay un nombre y unos números escritos en el billete?

—Ni idea. Lo ha escrito un chico que ha estado aquí —responde el camarero.

—¿Y no me puedes dar un billete limpio[17]?

—No tengo otro ahora mismo.

—Pues vaya... bueno, voy a dárselo a alguien lo antes posible[18].

—Los billetes escritos no tienen ningún problema, señora.

—No me gusta tener un billete escrito.

Almudena suspira, resignada[19], y guarda el billete de cinco euros en su monedero de piel. Luego mete el monedero en su bolso de tela azul y sale de la cafetería en la dirección opuesta a la de Juan Carlos y Thomas. A cada paso[20] que da Almudena, el billete de cinco euros se aleja más y más de Thomas y de su destino junto a María.

ACTIVIDADES
CAPÍTULO 1

1

Ordena la conversación entre Juan Carlos, Thomas y un camarero.

- [ ] ¿Y quieren algo para comer?
- [ ] Yo también quiero una.
- [ ] De acuerdo, gracias.
- [ ] Yo no tengo hambre, ¿y tú, Thomas?
- [ ] Vale, ahora les traigo las horchatas.
- [ ] Yo tampoco.
- [ ] Hola, yo quiero una horchata, por favor.
- [1] Buenos días, ¿qué van a tomar?
- [ ] Pues no, no queremos comer nada.

2

Completa este texto sobre la catedral de Valencia. Utiliza las palabras que tienes a continuación.

es (x3) | **tiene** | **mide** | **está** | **hay**

La catedral de Valencia ___________ en el casco antiguo de la ciudad y ___________ más de 500 años de historia. En el edificio ___________ una mezcla de estilos artísticos (románico, gótico, renacentista y barroco). La imagen más característica de la catedral ___________ la torre del campanario, que ___________ conocida como "El Miguelete" (*Micalet* en valenciano). El Miguelete ___________ una torre de estilo gótico y ___________ 51 metros de altura.

Valencia
LA CIUDAD

Valencia es la capital de la Comunidad Valenciana y la tercera ciudad más poblada de España, por detrás de Madrid y Barcelona. Es, también, uno de los mejores ejemplos de la huella de las diferentes civilizaciones que han poblado la península ibérica.

APUNTES CULTURALES

Valencia es una ciudad clave en la historia de la península ibérica: su fundación se remonta al siglo II antes de Cristo. Actualmente, su casco antiguo es uno de los más grandes del país, y en él hay muchos edificios y monumentos históricos. Por esa razón, Valencia es una de las ciudades de España que atraen a más turistas.

Valencia tiene el jardín urbano más grande de España: el Jardín del Turia, conocido también como "el río". Ocupa el espacio del antiguo cauce del río Turia y, por eso, hay muchos puentes que lo cruzan.

La ciudad está en la costa mediterránea y cuenta con varias playas, como la playa de las Arenas o la playa de la Malvarrosa, que son dos grandes focos de atracción turística.

Además de la oferta cultural de la ciudad, a pocos kilómetros es posible disfrutar de espacios naturales como el Parque Natural de la Albufera.

Diccionario visual Capítulo 2

Pez

Fuente

(Paquete de) chicles

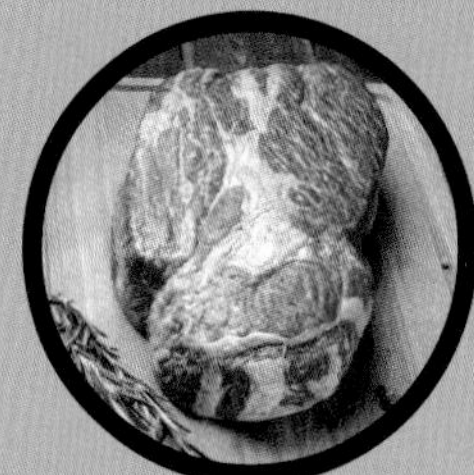

Filete

Monedas

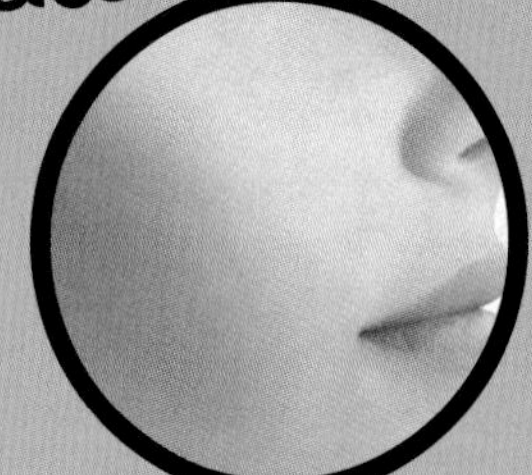

Mejilla

Mochila

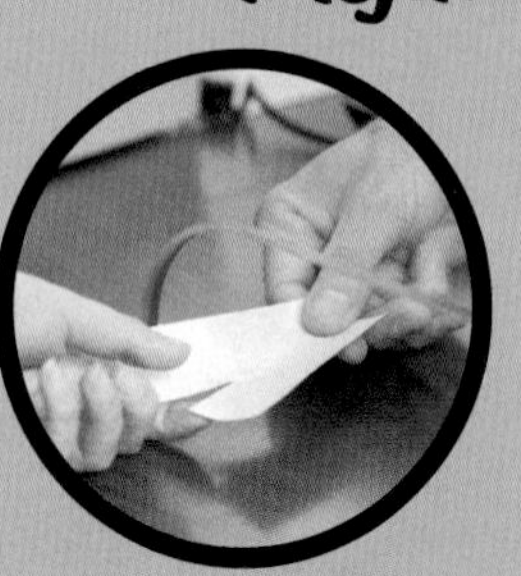

Entrada

Vaso de cristal

Libreta

Rosa

Delfín

Vaqueros

Llaves

Mercado

CAPÍTULO 2

Media hora después, más o menos a las once de la mañana, Almudena está en el Mercado Central, delante de la Lonja de la Seda. ¿Cuánto tiempo hace que no la visita? A veces, es difícil contemplar[1] tu propia ciudad con ojos de turista. Almudena piensa que el mercado también es un lugar muy bonito. Se acerca a una carnicería[2].

—¿Qué desea? —pregunta el carnicero.

—Quiero dos filetes de ternera[3], por favor —le dice Almudena.

Almudena paga con el billete de cinco euros. El carnicero mira el billete y pregunta:

—¿Quién es María?

—Ni idea, chico. Pero el dinero[4] vale igualmente —responde Almudena.

El billete de cinco euros está dentro de la caja registradora de la carnicería durante casi diez minutos, en compañía de varios billetes de 20 y monedas de diferente valor. Su nuevo dueño[5] pasa a ser Antonio, un chico de 14 años. Su madre le ha dicho que necesita carne para preparar la cena. Antonio no ha mirado el billete de cinco euros cuando el carnicero se lo ha dado. Lo ha guardado en un bolsillo de su mochila, donde hay un paquete de chicles medio vacío, las llaves de su casa y unas cuantas monedas.

—¿Has traído la carne? —le pregunta su madre cuando Antonio llega a casa.

—Claro.

—Deja el cambio en la mesa —dice la madre.

Antonio saca el billete de cinco euros de la mochila y lo deja en la mesa. La mesa está cubierta con un mantel[6] de color rojo. Además del billete de cinco euros, hay un florero[7] con una rosa y un vaso de cristal.

El tiempo pasa: los minutos, las horas... A las dos de la tarde, mientras el billete de cinco euros permanece en la mesa de casa de Antonio, Thomas está en la azotea[8] de una de las Torres de Quart. Observa toda la ciudad y piensa en qué lugar exacto puede estar el billete. Junto a Thomas está Juan Carlos. Le pasa un brazo sobre el hombro y le dice:

—Ahora vamos a visitar el taller donde mi comisión fallera[9] está haciendo un ninot para este año: vamos a hacer un ninot del presidente del gobierno. Te va a encantar.

—Ah, muy bien... —dice Thomas. Tiene la mirada fija en el horizonte[10]. No quiere mirar a su amigo.

—Y el partido de fútbol es esta noche. Tenemos que ir al campo[11] media hora antes —dice Juan Carlos.

Thomas no responde, tiene la cabeza en otro sitio. Juan Carlos le pregunta.

—¿Estás bien? Estás como... ausente[12].

—Estoy pensando.

—¿En qué? ¿En tu destino? ¿Hay algo nuevo escrito en él? —ríe Juan Carlos.

Y justo en ese mismo instante, alguien coge el billete de cinco euros de la mesa de casa de Antonio y sale con él en la mano. Esa persona es el hermano de Antonio, un chico de 19 años que se llama Vicente y que camina con prisa[13] por las calles de la ciudad hasta llegar a la plaza Redonda. Allí está esperándolo una chica de la misma edad que él. Está sentada en la fuente que hay en el centro de la plaza.

—Esto es lo que te debo[14] —Vicente le da el billete de cinco euros a la chica.

—¿Qué es esto que está escrito?

—¿Qué? —la chica le enseña el billete a Vicente—. Ah... no lo sé. Quizás es una contraseña[15]. O un mensaje en clave[16] para alguien que se llama María.

Vicente y la chica, que se llama Amparo, están en silencio durante unos instantes. Los dos observan el billete con curiosidad: ¿qué quiere decir ese número? Finalmente, Amparo guarda el billete en un bolsillo de su pantalón y se despide[17] de Vicente.

A las cuatro menos cuarto de la tarde, Amparo entra en el Oceanogràfic de la Ciudad de las Artes y las Ciencias. Allí, en el vestíbulo de la entrada, Amparo saluda a Miranda, su novia.

—¡Miranda! ¿He llegado muy tarde? —pregunta Amparo.

—No, he llegado hace cinco minutos —responde Miranda.

Delante de la taquilla[18], cuando Amparo ve el precio de la entrada, dice:

—¡Es muy caro!

Miranda le acaricia[19] la cara, le da un beso y le dice:

—Recuerda que me has prometido esta visita.

—Vale, vale —dice Amparo de mala gana[20].

Amparo pide dos entradas y las paga con unos cuantos billetes. Uno de ellos es el billete de cinco euros con los tres últimos números del teléfono de María.

A las cuatro y cinco minutos, Julián, un señor de 45 años, llega a las taquillas del Oceanogràfic con su mujer, Claudia, y su hija Sonia, una niña de diez años. Hoy están visitando la Ciudad de las Artes y las Ciencias. Julián paga tres entradas y el taquillero le devuelve seis euros: una moneda de un euro y el billete de cinco euros con el nombre de María. Julián no mira el billete, solo lo guarda en el bolsillo de sus vaqueros.

—¿Vamos? —les pregunta Julián a su hija y a su mujer. La niña, emocionada y feliz, responde:

—¡Claro que sí!

La plaza Redonda

La plaza Redonda está en el barrio del Mercado, en el casco antiguo de la ciudad. Tiene forma redonda y una entrada por cada punto cardinal (norte, sur, este y oeste). Es una de las plazas más pequeñas de la ciudad y uno de sus secretos mejor guardados.

El matrimonio y su hija pasan un par de horas dentro del Oceanogràfic. Ven delfines, peces y animales marinos de todos los colores y formas. Al salir, Sonia les pide a sus padres un recuerdo[21] de la tienda de regalos. El recuerdo que quiere es una libreta con un dibujo de un delfín en la tapa. Julián paga la libreta con el billete de cinco euros que ha pasado por las manos de Amparo, de Vicente, de Antonio, de Almudena y de Juan Carlos. Ese billete que ahora está en algún lugar de la Ciudad de las Artes y las Ciencias, a unos cuantos kilómetros de distancia de Thomas y de su destino.

ACTIVIDADES
CAPÍTULO 2

1

Ordena las palabras en la conversación entre Thomas y Juan Carlos.

preocupado Thomas, pareces.

----

contigo Estoy enfadado muy.

¿qué Por?

----

a Quiero María conocer. Pero ayudas tú me no.

----

siento Lo.

¿das Me teléfono el María de?

No.

----

mala Eres persona una.

2

Observa este monumento fallero e indica si las siguientes afirmaciones son verdaderas o falsas. Corrige las que son falsas.

	V	F
En el monumento hay muchos animales.		
En el centro del monumento hay un león.		
Hay un cocodrilo detrás del león.		
Hay tres jirafas.		
A la derecha del león hay una cebra.		
En el árbol hay una serpiente.		

Las Fallas

LA CIUDAD EN LLAMAS

Las Fallas son unas fiestas que se celebran cada año en marzo en la ciudad de Valencia y otras localidades. Se celebran en honor a San José, el patrón de los carpinteros. Son un importante reclamo turístico de la ciudad, y tienen un protagonista muy especial: el fuego.

APUNTES CULTURALES

El monumento fallero es de grandes dimensiones, puede llegar a medir más de 20 metros de altura. En este monumento están los ninots, que representan personajes de ficción o reales de la cultura española. Muchos de estos monumentos son caricaturas de la actualidad del momento.

En casi todas las calles hay un "casal fallero", la sede de las comisiones falleras. Estos grupos vecinales organizan actividades para financiar la construcción de los monumentos falleros que se queman la noche del 19 de marzo en la calle.

Durante las festividades, los miembros de las comisiones falleras suelen vestirse con ropa tradicional.

Petardos, fogatas, fuegos artificiales... Todos los días desde el 1 hasta el 19 de marzo, a las dos de la tarde, en la plaza del ayuntamiento, se celebra la mascletá. Más de cinco minutos de pirotecnia y mucho, mucho ruido.

Diccionario Visual Capítulo 3

Gordo

Chucherías

Camiseta

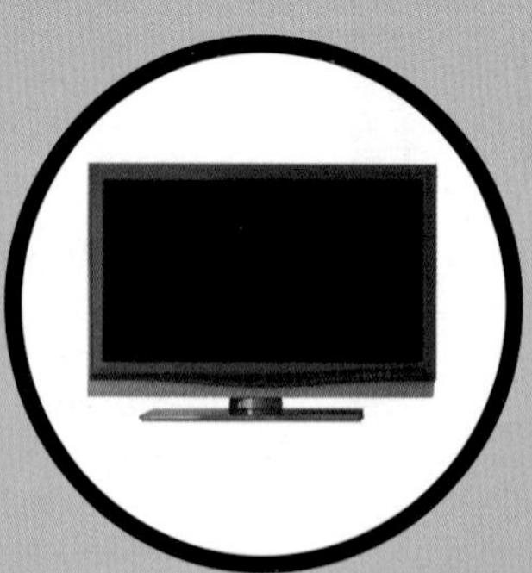

Televisión

Estadio

Sol

Bandera

Bufanda

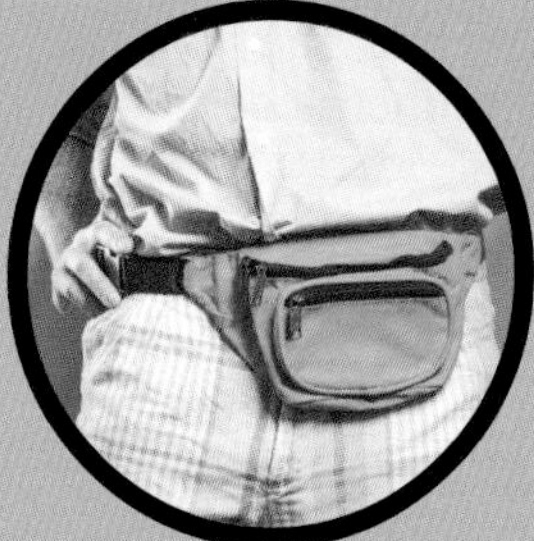

Riñonera

Calvo

Pipas

Tiburón

Balcón

CAPÍTULO 3

Pocos minutos después de Julián, otro hombre pasa por la caja de la tienda del Oceanogràfic. Se llama Francisco y también ha ido de visita con su hijo, que se llama Marcos y que quiere una camiseta.

—¿Cuánto cuesta la camiseta? —pregunta Francisco a la dependienta[1] de la tienda de recuerdos.

—15 euros —responde ella.

Francisco paga con un billete de 20 euros y la dependienta le da el cambio: el billete de cinco con los últimos tres números del teléfono de María.

Media hora después, más o menos a las seis y media de la tarde, Francisco y su hijo Marcos se encuentran con Lara, la madre de

Marcos. Están delante del Palau de la Música de Valencia. En el cielo[2], el sol ya empieza a caer.

—Hola, cariño[3] —le dice Lara a Marcos.

—¡Hola, mamá! ¡Hemos ido al Oceanogràfic! ¡Hemos visto un montón de[4] peces y de tiburones y de todo!

—¡Qué bien! —sonríe Lara.

—¿Por qué hemos quedado aquí? —pregunta Francisco.

—Es que vamos a ir a casa de los abuelos.

—Ah, vale. ¿Cómo están tus padres, por cierto? —pregunta Francisco.

—Bien, como siempre.

Francisco acaricia la cabeza de su hijo y le dice.

—Marcos, te dejo con tu madre. Nos volvemos a ver la semana que viene, ¿de acuerdo?

—Vale.

Francisco saca el billete de cinco euros de su cartera y le dice a su hijo:

—Toma, cariño, este dinero es para ti.

—¡Bien! —exclama Marcos.

—Pero no puedes gastarlo en chucherías, ¿eh? —dice Francisco.

—Eso es. Tu padre tiene razón[5] —dice Lara.

Luego, Francisco le da un beso a su hijo y se despide de su exmujer.

—Hasta la semana que viene, Lara.

—Adiós —dice ella, con frialdad[6].

Francisco los mira alejándose. No va a volver a ver a su hijo hasta la semana que viene. Una semana que va a ser muy larga para él.

La casa de los padres de Lara está en la avenida de Aragón, a menos de diez minutos a pie del Palau de la Música. Ahora mismo, a las ocho menos cuarto de la tarde, la avenida de Aragón está llena de aficionados[7] del Valencia que se acercan al estadio de Mestalla para animar a su equipo en el partido que va a jugar en un rato. Marcos puede ver a los grupos de aficionados desde el balcón de la casa de sus abuelos. Todos caminan tranquilamente hacia el estadio: unos llevan banderas con el escudo[8] del equipo, otros llevan banderas de la Comunidad Valenciana, otros llevan bufandas con los colores del club.

Entre todos esos aficionados que Marcos observa desde el balcón, están Juan Carlos y Thomas. Juan Carlos lleva una camiseta del Valencia, y Thomas camina a su lado, con cara de enfado[9]. Juan Carlos le dice:

—Hoy vamos a darles una paliza[10] a los del Levante.

—Seguro que sí —responde Thomas.

—¿Qué te pasa? ¿Sigues enfadado conmigo?

—No entiendo por qué no me das el teléfono de tu amiga María.

—Ja, ja, ja —ríe Juan Carlos—. No puedes enfadarte conmigo. Tienes que enfadarte con tu destino.

Juan Carlos le guiña un ojo[11] a su amigo alemán. Thomas no responde. Juan Carlos le dice:

—No has tenido un mal día, ¿verdad? Has paseado por la ciudad, has visitado los monumentos más importantes, has visto cómo se hace un ninot, has comido una paella deliciosa, y ahora vas a ver un partido de Primera División.

—Ya, pero no he podido conseguir el teléfono de María, y eso es por tu culpa[12].

Juan Carlos piensa que Thomas exagera[13]. No entiende que todo este asunto del teléfono es solo una broma[14]. ¡Por supuesto que va a darle el número! Pero todavía no. Quiere continuar con la broma un poco más.

Desde el balcón de la casa de sus abuelos, Marcos grita[15]:

—¡La calle está llena de gente!

—¿Contra quién juega hoy el Valencia? —pregunta Lara a su padre.

—Contra el Levante, ¡hoy hay derbi! —responde el abuelo de Marcos.

—¡Sí! ¡Hoy hay derbi y no lo vamos a ver! —dice Marcos, triste.

—Si quieres, bajamos al bar y lo vemos por la televisión —dice el abuelo.

—Mamá, ¿puedo bajar con el abuelo? —pregunta Marcos.

—Claro, cariño —le dice Lara a su hijo.

—¡Bien! —dice Marcos.

Un rato después, Marcos y su abuelo están en la puerta de un bar que hay debajo de su casa. Al lado del bar hay un kiosco. Marcos recuerda que tiene un billete de cinco euros y le pide permiso[16] a su abuelo para ir al kiosco y comprar una bolsa de chucherías.

—¿Estás seguro de que puedes comer esas cosas? —pregunta su abuelo.

—Sí, mis padres me dejan[17] —sonríe Marcos.

El abuelo sonríe también. Y así, Marcos compra una bolsa de chucherías con el billete con los tres números del teléfono de María.

El dueño del kiosco, un señor gordo y calvo que se llama Felipe, mira el billete con atención y piensa lo mismo que han pensado otros: ¿Quién es María? ¿Qué significan esos tres números? Felipe sabe que los billetes escritos también son dinero, pero no le gusta tener un billete así. Por eso, cuando puede, se lo da a otro cliente.

En este caso, el cliente es una chica que lleva la camiseta del Valencia. Se llama Ana, tiene 25 años y ha comprado una bolsa de pipas. Ella camina hacia el estadio de Mestalla con dos amigos. Uno de ellos le dice:

—En el campo también venden bolsas de pipas.

—En el campo son más caras —responde Ana.

Ana guarda el billete en su monedero de tela naranja y el monedero en la riñonera negra que enseña a los empleados de seguridad antes de entrar en el estadio de fútbol. El partido comienza en un cuarto de hora.

ACTIVIDADES
CAPÍTULO 3

¿Cuáles de estas cosas se han pagado con el billete de cinco euros durante la historia?

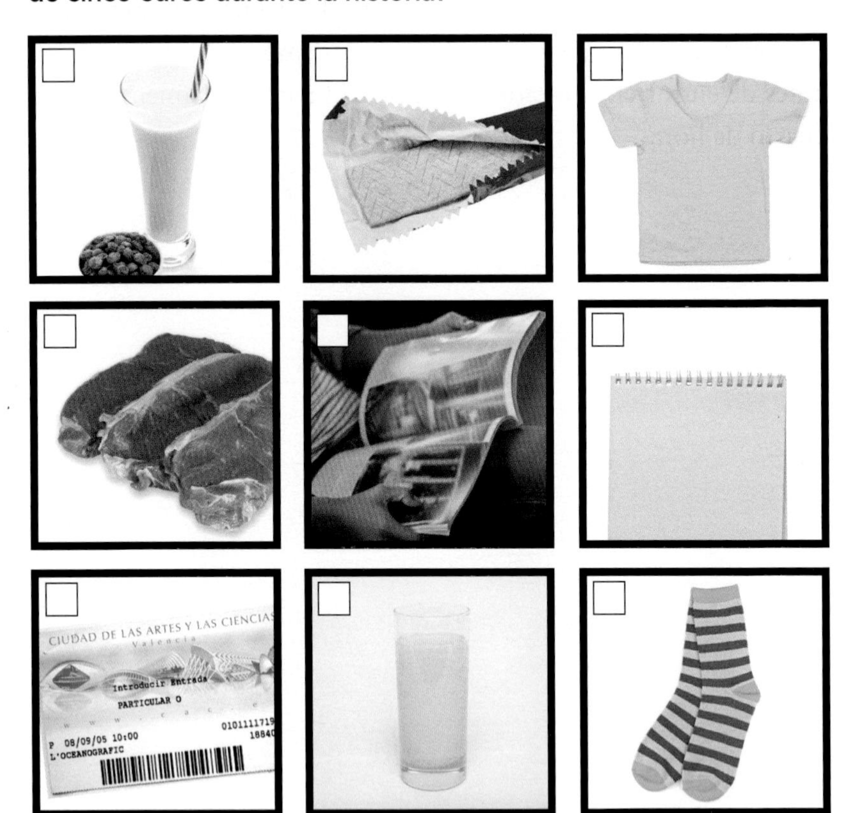

2

Marca con una X las actividades que ha hecho Thomas durante la historia.

☐ Ha paseado por la ciudad.

☐ Ha bebido un vaso de horchata.

☐ Ha comprado un recuerdo.

☐ Ha comido paella.

☐ Ha conocido gente nueva.

☐ Ha visitado monumentos de la ciudad.

☐ Ha cantado una canción.

3

¿Qué otras actividades ha hecho Thomas hoy?

La Ciudad de las Artes y las Ciencias

UN ICONO

La Ciudad de las Artes y las Ciencias está considerada una de las construcciones de arte moderno más espectaculares del mundo. Está al final del Jardín del Turia y es uno de los principales reclamos turísticos de la ciudad.

APUNTES CULTURALES

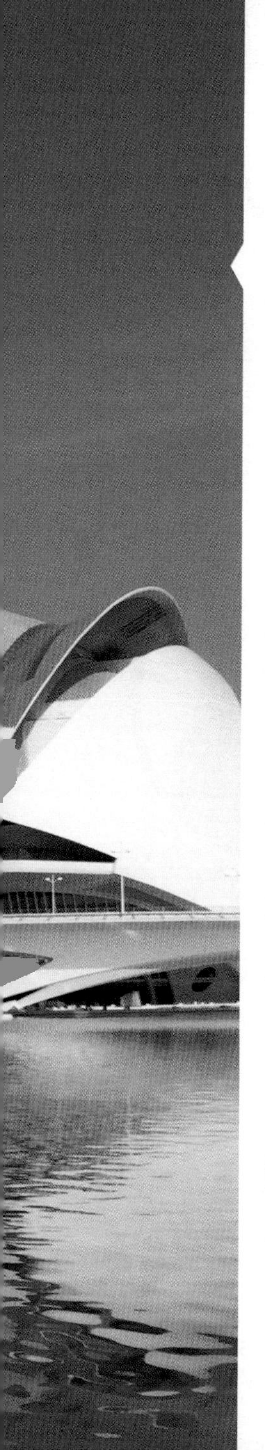

La Ciudad de las Artes y las Ciencias consta de varios edificios, cada uno de ellos con una función diferente y un estilo particular. Estos edificios son el Hemisfèric, el Museo de las Ciencias Príncipe Felipe, el Oceanogràfic, el Palacio de las Artes Reina Sofía y el Ágora.

El Hemisfèric es un edificio con forma de ojo. Fue el primer edificio del complejo abierto al público. En su interior hay una sala de cine con una gran pantalla cóncava de 900 m^2.

El Museo de las Ciencias Príncipe Felipe es un museo dedicado a la ciencia, la tecnología y el medio ambiente. Tiene más de 20 000 m^2 dedicados a exposiciones.

El Palacio de las Artes Reina Sofía es el teatro de la ópera de Valencia. Es obra del arquitecto Santiago Calatrava, que es el máximo responsable del diseño de la Ciudad de las Artes y las Ciencias.

Diccionario visual

Capítulo 4

Puesto de comida

Pelo liso

Pelo rizado

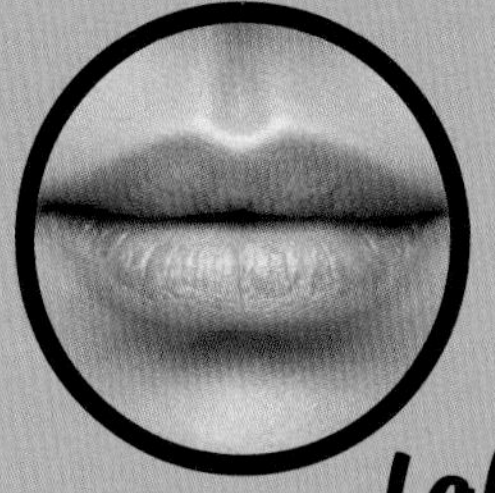

Labios

Portería

Cola

Botella de agua

Árbitro

Ojos

Lavabos

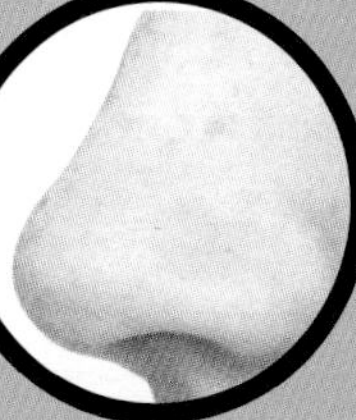

Nariz

Chaqueta

Graderia

CAPÍTULO 4

Los asientos de Ana y sus amigos están en la primera gradería, detrás de una de las porterías. Desde allí no pueden ver los goles de la otra portería. Ahora mismo, los jugadores del Valencia y los jugadores del Levante salen al campo. Los capitanes de ambos equipos saludan a los árbitros. Empieza el partido. El equipo local ataca y el equipo visitante se defiende. Ana y sus amigos están detrás de la portería del Levante, y viven esos primeros minutos con mucha emoción. Una oportunidad de gol detrás de otra, pero el gol del Valencia no llega. El público[1] anima[2], pero poco a poco el equipo baja su intensidad.

—¡*Amunt, València, amunt*! —gritan Ana y sus amigos. Quieren ver un gol en esa portería.

—¡Vamos, Valencia, vamos! —gritan Juan Carlos y Thomas, que están sentados en la misma gradería que Ana, cinco filas detrás de ella.

El Valencia y el Levante llegan a la mitad del partido con empate[3] a cero.

—Tengo sed[4] —dice Ana entonces.

—Claro, has comido muchas pipas... —responde uno de sus amigos.

—Voy a comprar una botella de agua —dice Ana.

—¡Rápido[5]! La segunda parte comienza en diez minutos.

Ana se levanta de su asiento y va a un puesto de comida que hay en los pasillos[6] interiores de la primera gradería. Hay más de diez personas haciendo cola[7] para pedir.

Thomas se levanta de su asiento. Juan Carlos lo agarra por la chaqueta.

—¿Adónde vas?

—Al lavabo —responde Thomas, serio.

Thomas ha estado de mal humor[8] desde que Juan Carlos ha empezado con la broma del billete de cinco euros. No entiende por qué su amigo no lo ayuda a conocer a María. Thomas necesita volver a verla, volver a ver sus ojos verdes... ¿o son marrones? Bueno, no importa. Necesita volver a ver su larga melena[9] castaña... ¿o es rubia? ¿Su pelo es liso o rizado?... Thomas no está muy seguro de nada, pero sí está seguro de que está enfadado con Juan Carlos. Los amigos se ayudan entre ellos.

Quizás es que a Juan Carlos le gusta María. Thomas entra en los lavabos que hay en uno de los pasillos interiores del estadio. Piensa en que si a Juan Carlos también le gusta María, tiene que decírselo. Ella no puede ser un problema en su amistad.

Después de hacer pis[10], Thomas sale de los lavabos con María todavía en la cabeza. Ahora mismo no puede recordar bien su cara. ¿Qué forma tiene su nariz? ¿Cómo son sus labios? Parece que Thomas ha gastado más tiempo durante el día en estar enfadado con Juan Carlos que en recordar a María.

De repente, una conversación llama su atención:

—Lo siento, pero no aceptamos billetes escritos.

Thomas se gira hacia la voz. Es la voz del dependiente de un puesto de comida. Está hablando con una chica, que le responde:

—¡Pero si el dinero escrito vale igual!

—Son las normas de la casa[11].

El dependiente le devuelve el billete de cinco euros a Ana.

Thomas se acerca hasta el puesto de comida. Ahora hay solo dos personas en la cola. Casi todo el público ha vuelto a sus asientos. La segunda parte del partido está a punto de[12] empezar. Thomas mira con atención el billete de la chica.

—Solo quiero una botella de agua fría, tío[13]. Hazme el favor —insiste Ana.

—Lo siento, pero no —responde el dependiente.

—¡Mierda[14]! —grita Ana. Extiende el billete de cinco euros y le grita:

—¡Mierda de billete!

—¡El billete! —exclama Thomas—. ¡El billete!

—¿Qué? —pregunta Ana a Thomas.

Thomas sonríe como un loco, ¡qué extraordinaria coincidencia! ¡Está claro que su destino está escrito! Saca su cartera de un bolsillo de sus vaqueros y busca entre las monedas: tres monedas de un euro y una moneda de dos euros. Se las ofrece a Ana.

—Te cambio tu billete escrito por estos cinco euros en monedas.

Ana mira extrañada a aquel chico con acento alemán. ¿Por qué está tan emocionado con ese billete?

El corazón de Thomas palpita[15] con fuerza. ¡Ha vivido un milagro[16] estadístico! Y ahora puede, por fin, llamar a la hermosa María. ¿Hermosa? ¿Estás seguro, Thomas? ¿Estás realmente seguro de qué cara tiene María? ¿Tiene María los ojos azules que tiene esa chica? ¿Tiene María esa mirada? Esa mirada que... ¡vaya!... esa mirada puede volverlo loco[17].

—¿Por qué me miras así? —pregunta Thomas.

—Me pregunto qué piensas —responde Ana.

Ana sonríe y el corazón de Thomas se tambalea[18] un poco. Thomas piensa que quiere vivir para siempre en la sonrisa de esa chica.

—¿Cómo te llamas? —pregunta Thomas.

—Ana.

—Mira, Ana...

Thomas contempla a Ana con el billete de cinco euros en la mano. Puede leer perfectamente los tres últimos dígitos del número de teléfono de María. Ana lo mira con sus ojos azules y Thomas piensa en que el destino es caprichoso[19]. Por eso se ríe cuando dice:

—... yo lo que quiero en realidad es tu número de teléfono.

FIN

ACTIVIDADES
CAPÍTULO 4

1

Indica si las siguientes afirmaciones son verdaderas o falsas. Corrige las que son falsas.

	V	F
Thomas consigue el teléfono de María.		
Almudena compra carne.		
Amparo invita a su pareja al Oceanogràfic.		
El Levante FC gana el partido.		
Marcos y su abuelo ven el partido de fútbol por la televisión.		
Ana ha ido sola al campo de fútbol.		
Juan Carlos y Ana se conocen en el campo de fútbol.		
Juan Carlos paga la horchata que ha tomado Thomas.		
Vicente le da el billete de cinco euros a Amparo.		
El padre de Marcos se llama Juan.		

El billete de cinco euros ha viajado mucho durante el día. Ordena los lugares en los que ha estado. Cuidado, hay dos lugares de la lista en los que no ha estado.

- [ ] Dentro de la caja registradora de una cafetería
- [ ] Sobre una mesa con el mantel rojo
- [ ] En una carnicería
- [ ] En un kiosco
- [ ] Dentro de un monedero de piel
- [ ] En la taquilla del Oceanogràfic
- [ ] En el local de una comisión fallera
- [ ] En una tienda de recuerdos
- [ ] Dentro de un campo de fútbol
- [ ] En las Torres de Quart de Valencia

La paella

EL PLATO ESTRELLA

Uno de los platos más famosos de la Comunidad Valenciana es, sin duda, la paella. Es un plato con base de arroz que, en su receta original, lleva también anguila, caracoles y judías verdes. Actualmente hay infinitas versiones de la paella valenciana.

APUNTES CULTURALES

Qué es y qué no es paella es un tema polémico. Aunque hay cierto consenso sobre cómo debe ser la auténtica paella valenciana, incluso dentro de la Comunidad Valenciana existen variaciones. En muchos restaurantes de toda España se puede encontrar "paella", pero las diferencias entre unas y otras pueden ser enormes.

Valencia, la tierra de la paella, cuenta con una enorme oferta de restaurantes de gran calidad y con precios razonables. En esta ciudad se pueden encontrar algunas de las mejores arrocerías del país.

Para elaborar una paella es necesaria una paella. La paella es una sartén de hierro o acero con dos o más asas pequeñas. Tiene poca profundidad y una gran superficie.

La paella es un plato típico de la dieta mediterránea. Los alimentos básicos de esta dieta son las frutas, las verduras, las legumbres, los frutos secos, el trigo, el aceite de oliva como grasa principal y el vinagre.

CAPÍTULO 1

CASTELLANO	INGLÉS	FRANCÉS	ALEMÁN	NEERLANDÉS
1. Cuadriculado/-a	Rigid	Rigide	kleinkariert	Rechtlijnig
2. Tener los pies en el suelo	To have one's feet on the ground	Être terre à terre	mit beiden Beinen auf der Erde stehen	Met beide benen op de grond staan
3. Soñador/-a	Dreamer	Rêveur/-euse	verträumt	Dromer
4. Idealista	Idealistic	Idéaliste	idealistisch	Idealist
5. Tener la cabeza en las nubes	To have one's head in the clouds	Avoir la tête dans les nuages	den Kopf in den Wolken haben	Met het hoofd in de wolken lopen
6. Enamorado/-a	In love	Amoureux/-euse	verliebt	Verliefd
7. Alejarse	To walk away	S'éloigner	sich zurückziehen	Weggaan
8. Casco antiguo	Old quarter	Centre historique	Altstadt	Oude binnenstad
9. Soñar con algo/alguien	To dream about something/ someone	Rêver de quelque chose/ quelqu'un	von etwas/jemanden träumen	Van iets/iemand dromen
10. Destino	Destiny	Destin	Schicksal	Toekomst
11. Hacer bromas	To make jokes	Faire des blagues	Witze machen	Grapjes maken
12. Ser un caradura	To have a lot of nerve	Être culotté/-e	unverschämt sein	Brutaal zijn
13. Tontería	Nonsense	Bêtise	Blödsinn	Onzin
14. Extrañeza	Surprise	Étonnement	Befremden	Verbazing
15. El cambio	Change	La monnaie	Wechselgeld	Het wisselgeld
16. Cabrón/a	Asshole	Connard/connasse	Arschloch	Klootzak
17. Limpio	Clean	Propre	sauber	Schoon
18. Lo antes posible	As soon as possible	Le plus vite possible	so schnell wie möglich	Zo snel mogelijk
19. Resignado/-a	Resigned	Résigné/-e	resigniert	Berustend
20. Paso	Step	Pas	Schritt	Stap

CAPÍTULO 2

CASTELLANO	INGLÉS	FRANCÉS	ALEMÁN	NEERLANDÉS
1. Contemplar	To look at	Contempler	betrachten	Aanschouwen
2. Carnicería	Butcher's	Charcuterie	Fleischerei	Slager
3. Ternera	Beef	Veau	Rindfleisch	Kalfsvlees
4. Dinero	Money	Argent	Geld	Geld
5. Dueño	Owner	Propriétaire	Besitzer	Eigenaar
6. Mantel	Table cloth	Nappe	Tischdecke	Tafelkleed
7. Florero	Vase	Vase	Blumenvase	Vaas
8. Azotea	Roof terrace	Terrasse	Terrasse	Dakterras
9. Comisión fallera	Comisión fallera (a group of people who support or sponsor a figure for the Las Fallas festival in Valencia)	Comisión fallera (groupe de voisins qui soutient une Falla dans un quartier de Valence)	Falla-Komitee	Fallas-commissie
10. Tener la mirada fija en el horizonte	To be staring into the distance	Fixer l'horizon	den Blick fest auf den Horizont gerichtet	In de verte staren
11. Campo (de fútbol)	(Football) pitch	Terrain (de football)	Fußballplatz	Voetbalveld
12. Ausente	Preoccupied	Absent	abwesend	Afwezig
13. Con prisa	In a rush	Rapidement	eilig	Haastig
14. Deber (dinero)	To owe (money)	Devoir (de l'argent)	schulden (Geld)	Schuldig zijn (geld)
15. Contraseña	Password	Mot de passe	Passwort	Wachtwoord
16. En clave	Coded	Codé (message)	verschlüsselt	In code
17. Despedirse	To say goodbye	Dire au revoir	sich verabschieden	Afscheid nemen

18. Taquilla	Ticket office	Guichet	Kasse	Loket
19. Acariciar	To stroke	Caresser	streicheln	Strelen
20. De mala gana	Reluctantly	À contrecœur	lustlos	Met tegenzin
21. Recuerdo	Souvenir	Souvenir	Erinnerung	Souvenir

CAPÍTULO 3

CASTELLANO	INGLÉS	FRANCÉS	ALEMÁN	NEERLANDÉS
1. Dependiente/-a	Shop assistant	Vendeur/-euse	Angestellte/-r	Verkoopmedewerker
2. Cielo	Sky	Ciel	Himmel	Lucht
3. Cariño	Darling	Mon chéri/ ma chérie	Schatz	Lieverd
4. Un montón de	A whole load of	Plein de	ein Haufen	Een heleboel
5. Tener razón	To be right	Avoir raison	Recht haben	Gelijk hebben
6. Frialdad	Coldly	Froideur	Lieblosigkeit	Koel
7. Aficionado/-a	Fan	Amateur/-trice	Fußballfan	Fan
8. Escudo	Coat of arms	Emblème	Wappen	Wapenschild
9. Enfado	Angry face	Irritation	Ärger	Boos
10. Dar una paliza	To thrash	Donner une raclée	es jemandem zeigen	Een pak slaag geven
11. Guiñar un ojo	To wink	Cligner de l'œil	zwinkern	Knipogen
12. Ser (algo) culpa de alguien	(Something) is someone's fault	Être la faute de quelqu'un	jemandes Schuld sein	De schuld zijn van iemand
13. Exagerar	To exaggerate	Exagérer	übertreiben	Overdrijven
14. Broma	Joke	Blague	Scherz	Grapje
15. Gritar	To shout	Crier	schreien	Schreeuwen
16. Pedir permiso	To ask for permission	Demander l'autorisation	um Erlaubnis bitten	Toestemming vragen
17. Dejar	To let (someone do something)	Laisser	lassen	Goed vinden

CAPÍTULO 4

CASTELLANO	INGLÉS	FRANCÉS	ALEMÁN	NEERLANDÉS
1. Público	Crowd	Public	Publikum	Publiek
2. Animar	To encourage	Animer	anfeuern	Aanmoedigen
3. Empate	Draw	Match nul	Unentschieden	Gelijkspel
4. Sed	To be thirsty	Soif	Durst	Dorst
5. Rápido	Quickly!	Vite	schnell	Snel
6. Pasillo	Corridor	Allée	Gang	Gang
7. Hacer cola	To be in the queue	Faire la queue	Schlange stehen	In de rij staan
8. De mal humor	To be in a bad mood	De mauvaise humeur	schlecht gelaunt	Slecht humeur
9. Melena	Hair	Cheveux	Mähne	Paardenstaart
10. Hacer pis	To take a leak	Faire pipi	pinkeln	Plassen
11. Normas de la casa	Company rules	Règles de la maison	Hausregeln	Regels van het huis
12. A punto de	About to	Sur le point de	kurz davor	Op het punt van
13. Tio	Man	Mec	Mann	Joh
14. Mierda	Shit	Merde	Scheiße	Klote
15. Palpita	To beat	Palpiter	klopft	Klopt
16. Milagro	Miracle	Miracle	Wunder	Wonder
17. Volver loco algo a alguien	To drive someone crazy	Rendre fou/folle quelqu'un	jemanden verrückt machen	Iemand gek maken
18. Tambalearse	To skip a beat	Chanceler	schwanken	Wankelen
19. Caprichoso/-a	Fickle	Capricieux	launisch	Onberekenbaar

Valencia
LA CIUDAD

.... p. 14-15

Valencia
THE CITY

Valencia is the capital of the Region of Valencia and has the third-largest population of any city in Spain, after Madrid and Barcelona. It is also one of the finest examples of the footprints left behind by the various civilisations to have lived on the Iberian Peninsula.

Valencia is an important city in the history of the Iberian Peninsula: it was first settled in the 2nd Century BC. Nowadays, its old quarter is one of the largest in the country, with many historic buildings and monuments. For this reason, Valencia is one of the most popular Spanish cities among tourists.

The city lies on the Mediterranean coast and has several beaches, such as the Las Arenas beach and the La Malvarrosa beach, which are both hugely popular with tourists.

Valencia is home to the largest urban garden in Spain: the Jardín del Turia, also known as *el río* (the river). It occupies the riverbed of the old river Turia, which is why there are so many bridges over it.

The cultural offer in the city itself is complemented by such natural spaces as the Albufera National Park only a few kilometres away.

Valence
LA VILLE

Valence est la capitale de la Communauté valencienne et la troisième ville la plus peuplée d'Espagne, après Madrid et Barcelone. C'est aussi l'un des meilleurs exemples de l'empreinte laissée par les différentes civilisations qui ont peuplé la Péninsule ibérique.

Valence est une ville ayant joué un rôle fondamental dans l'histoire de la Péninsule ibérique : sa fondation remonte au IIe siècle avant Jésus-Christ. Actuellement, son centre historique est l'un des plus grands du pays et il comprend de nombreux édifices et monuments historiques. C'est pour cela que Valence est l'une des villes d'Espagne qui attirent le plus de touristes.

Cette ville est située sur la côte méditerranéenne et elle possède plusieurs plages, comme la plage de Las Arenas ou la plage de La Malvarrosa, qui sont deux grands centres d'attraction touristique.

Valence possède le jardin urbain le plus grand d'Espagne : le Jardín del Turia, connu également comme « el río » (le fleuve). Il occupe l'espace de l'ancien lit du fleuve Turia. C'est pour cela qu'il est traversé par de nombreux ponts.

Outre l'offre culturelle de la ville, à quelques kilomètres de là il est possible de jouir d'espaces naturels comme le Parc naturel de la Albufera.

Valencia
DIE STADT

Valencia ist die Hauptstadt der Valencianischen Gemeinschaft und nach Madrid und Barcelona die drittgrößte Stadt Spaniens. Sie ist auch eines der besten Beispiele für die Spuren der verschiedenen Kulturen, welche die iberische Halbinsel besiedelt haben.

Die Stadt Valencia spielt eine wichtige Rolle in der Geschichte der iberischen Halbinsel: sie wurde im 2. Jahrhundert vor Christus gegründet. Heutzutage hat sie eine der größten Altstädte Spaniens, die viele historische Gebäude und Denkmäler beherbergt. Aus diesem Grund ist Valencia eine der Städte Spaniens, die am meisten Touristen anzieht.

Die Stadt befindet sich an der Mittelmeerküste und hat mehrere Strände, wie den Strand Las Arenas oder den Strand La Malvarosa, die beide Unmengen an Touristen anziehen.

Valencia hat den größten Stadtgarten Spaniens: der Jardín del Turia, auch bekannt als „el río" (der Fluss). Er wurde im trockenen Flussbett des Turia angelegt, weshalb ihn viele Brücken überqueren.

Neben dem kulturellen Angebot in der Stadt kann man in wenigen Kilometern Entfernung Naturgebiete wie den Naturpark von Albufera genießen.

Valencia
DE STAD

Valencia is de hoofdstad van de autonome regio "Comunidad Valenciana" en de op twee na meest bevolkte stad van Spanje, na Madrid en Barcelona. Het is ook een van de beste voorbeelden van de sporen van de verschillende beschavingen die het Iberisch schiereiland hebben bevolkt.

Valencia is een belangrijke stad in de geschiedenis van het Iberisch schiereiland: de stad werd in de 2e eeuw voor Christus gesticht. De oude binnenstad is een van de grootste van het land en er zijn heel veel historische gebouwen en monumenten. Dit is de reden waarom Valencia een van de steden is in Spanje die de meeste toeristen aantrekt.

De stad ligt aan de kust van de Middellandse Zee en heeft verschillende stranden, zoals het strand van Las Arenas of het strand van La Malvarrosa, twee belangrijke toeristische trekpleisters.

Valencia heeft het grootste stadspark van Spanje: de Jardín del Turia, ook bekend als "el río" (de rivier). Het park ligt op de plek van de oude bedding van de rivier Turia. Daarom strekken er zich zoveel bruggen boven het park uit.

Naast het culturele aanbod van de stad kan men op slechts een paar kilometers afstand genieten van natuurgebieden zoals het Natuurpark van Albufera.

Las Fallas
LA CIUDAD EN LLAMAS

p. 26-27

Las Fallas
A CITY IN FLAMES

This festival is celebrated in March every year in the city of Valencia and elsewhere. *Las Fallas de Valencia* are celebrated in honour of Saint Joseph, the patron saint of carpenters. They are an important tourist attraction in the city, with fire as the main protagonist.

Some of the figures are over 20 metres tall. They include the *ninots* (large wooden figures), representing fictional or real people from Spanish culture. Many are actually caricatures of famous people.

Almost every street has a *casal fallero*, the place where the *Comisiones Falleras* (groups of people who support or sponsor a figure for the festival) build their figures. These groups of neighbourhood residents organise activities to fund the construction of their *fallas* (figures), which are set aflame in the street on the night of 19 March.

Members of the *Comisiones Falleras* usually dress in costumes inspired by Valencian tradition during the festivities. The clothes worn by *falleros* and *falleras* has evolved alongside various fashion trends.

Bangers, bonfires, fireworks... The *Mascletà* takes place at 14:00 every day from 1 to 19 March in the town hall square. More than five minutes of pyrotechnics and very loud bangs.

Les Fallas
LA VILLE EN FLAMMES

Il s'agit des fêtes qui ont lieu chaque année en mars dans la ville de Valence et d'autres villes. Les Fallas de Valencia sont fêtées en l'honneur de Saint Joseph, patron des charpentiers. Importante attraction touristique de la ville, elles ont le feu pour principal protagoniste.

Le monument des Fallas peut mesurer jusqu'à plus de 20 mètres de haut. On y trouve les ninots (bonhommes de bois de grande taille), qui représentent des personnages imaginaires ou réels de la culture espagnole. Nombre de ces monuments sont des caricatures de l'actualité du moment.

Dans quasiment toutes les rues, il y a un casal fallero, le siège des Comisiones Falleras, groupes de voisins qui soutiennent une Falla dans un quartier de Valence. Ces derniers organisent des activités pour financer la construction des monuments des Fallas qui sont brûlés la nuit du 19 mars dans les rues.

Durant les festivités, les membres des Comisiones Falleras portent généralement des vêtements s'inspirant de la tradition valencienne. Le style de la tenue des participants aux Fallas a évolué à la guise des différentes modes.

Pétards, bûchers, feux d'artifice... Tous les jours, entre le 1er et le 19 mars, à deux heures de l'après-midi, sur la place de la mairie, a lieu la Mascletà, un spectacle de plus de cinq minutes de pyrotechnie très, très bruyant.

Die Fallas
Die STADT IN FLAMMEN

Dieses Fest findet jedes Jahr im März in Valencia und den umgebenden Gemeinden statt. Die Fallas de Valencia werden zu Ehren von San José, dem Schutzpatron der Zimmerleute, gefeiert. Sie sind eine wichtige Touristenattraktion und haben einen ganz besonderen Hauptdarsteller: Feuer.

Das Falla-Monument hat große Ausmaße und kann über 20 Meter hoch sein. Zu diesen Monumenten zählen die ninots (riesige Puppen aus Holz), die fiktive oder reale Persönlichkeiten der spanischen Kultur darstellen. Viele dieser Monumente sind Karikaturen aktueller Begebenheiten.

In fast allen Straßen gibt es ein „casal fallero" (Versammlungort der Falla-Komitees), Sitz der Comisiones Falleras (Falla-Komitees). Diese Nachbarschaftsvereine organisieren Aktivitäten, mit deren Einnahmen sie den Bau der Falla-Monumente finanzieren, die in der Nacht des 19. März auf der Straße verbrannt werden.

Während der Feierlichkeiten tragen die Mitglieder der Comisiones Falleras oft traditionell anmutende Trachten. Der Stil der Falla-Kleidung hat sich über verschiedene Moden hinweg immer weiterentwickelt.

Knaller, Lagerfeuer, Feuerwerk... Vom 1. bis 19. März wird täglich um 14 Uhr auf dem Rathausplatz die Mascletà gefeiert. Über fünf Minuten Feuerwerk und viel, viel Lärm.

De Fallas
DE STAD IN VLAMMEN

Dit zijn feesten die elk jaar in maart in de stad Valencia en andere plaatsen gevierd worden. De Fallas worden gevierd ter ere van San José, de patroonheilige van de timmerlieden. Het is een belangrijke toeristische trekpleister met een wel zeer bijzondere hoofdrolspeler: vuur.

Het Fallas-monument is van groot. Het kan wel meer dan 20 meter hoog zijn. In dit monument bevinden zich de "ninots" (grote houten poppen) die fictieve of werkelijke personen uit de Spaanse cultuur vertegenwoordigen. Vaak zijn het karikaturen van de actualiteiten van het moment.

In bijna alle straten is een "casal fallero", dit is de zetel van de Fallas-commissie. Deze buurtgroepen organiseren activiteiten om de bouw te kunnen financieren van de Fallas-monumenten die in de nacht van 19 maart op de straat worden verbrand.

Tijdens de festiviteiten kleden de leden van de Falleras-commissies zich gewoonlijk met kleding geïnspireerd op de Valenciaanse traditie. Deze heeft zich met de verschillende modes in stijl ontwikkeld.

Knallen, vreugdevuren, vuurwerk ... Van 1 tot 19 maart wordt elke dag om twee uur 's middags op het raadhuisplein de "Mascletà" gevierd. Meer dan vijf minuten vuurwerk en heel veel lawaai.

La Ciudad de las Artes y las Ciencias UN ICONO

p. 38-39

The Ciudad de las Artes y las Ciencias AN ICON

It is considered as one of the most spectacular modern art constructions in the world. It stands at the end of the Jardín del Turia and is one of the city's main tourist attractions.

The Ciudad de las Artes y las Ciencias (City of Arts & Sciences) comprises several buildings, each with a different purpose and unique style. They are: the Hemisfèric, the Principe Felipe Science Museum, the Oceanogràfic, the Palacio de las Artes Reina Sofía and the Ágora.

The Hemisfèric is an eye-shaped building. It was the first building at the complex to be opened to the public. It houses a cinema with a large 900 m^2 concave screen.

The Principe Felipe Science Museum is a museum dedicated to science, technology and the environment. It has over 20,000 m^2 dedicated to exhibits.

The Palacio de las Artes Reina Sofía is Valencia's opera theatre. It is the work of architect Santiago Calatrava, who was ultimately responsible for designing the Ciudad de las Artes y las Ciencias.

La Ciudad de las Artes y las Ciencias UNE ICÔNE

Elle est considérée comme étant l'une des constructions d'art moderne les plus spectaculaires du monde. Elle est située au bout du Jardín del Turia et est l'une des principales attractions touristiques de la ville.

La Ciudad de las Artes y las Ciencias (Cité des Arts et des Sciences) est composée de plusieurs bâtiments. Chacun d'entre eux occupe une fonction différente et possède un style particulier. Ces édifices sont l'Hemisfèric, le Musée des sciences Príncipe Felipe, l'Oceanogràfic, le Palacio de las Artes Reina Sofía et l'Ágora.

L'Hemisfèric est un édifice en forme d'œil. Il fut le premier bâtiment du complexe ouvert au public. Il héberge une salle de cinéma dotée d'un grand écran concave de 900 m^2.

Le Musée des sciences Príncipe Felipe est un musée consacré à la science, la technologie et l'environnement. Il possède plus de 20 000 m^2 consacrés à des expositions.

Le Palacio de las Artes Reina Sofía est le théâtre de l'opéra de Valence. Il est l'œuvre de l'architecte Santiago Calatrava, qui est le principal responsable de la conception de la Ciudad de las Artes y las Ciencias.

Ciudad de las Artes y las Ciencias
EINE IKONE

Es gilt als eines der spektakulärsten modernen Bauwerke der Welt. Es befindet sich am Ende des Jardín del Turia und ist eine der wichtigsten Touristenattraktionen der Stadt.

Die Ciudad de las Artes y las Ciencias (Stadt der Künste und Wissenschaften) besteht aus mehreren Gebäuden, von denen jedes eine unterschiedliche Funktion erfüllt und einen besonderen Baustil hat. Diese Gebäude sind das Hemisfèric, das Museum der Wissenschaften Príncipe Felipe, das Oceanogràfic, der Palacio de las Artes Reina Sofía und das Ágora.

Das Hemisfèric ist ein Gebäude mit Form eines Auges. Es war das erste Gebäude des Komplexes, das dem Publikum geöffnet wurde. In seinem Inneren befindet sich ein Kinosaal mit einer konkaven, 900 m^2 großen Leinwand.

Das Museum der Wissenschaften Príncipe Felipe ist der Wissenschaft, Technik und Umwelt gewidmet. Es hat eine Ausstellungsfläche von über 20 000 m^2.

Der Palacio de las Artes Reina Sofía das Operntheater von Valencia. Es ist das Werk des Architekten Santiago Calatrava, der hauptsächlich für das Design der Gebäude der Ciudad de las Artes y las Ciencias verantwortlich ist.

De Ciudad de las Artes y las Ciencias
EEN ICOON

Het wordt beschouwd als een van de meest spectaculaire moderne kunstconstructies ter wereld. Het ligt aan het einde van de Jardín del Turia en is een van de belangrijkste toeristische trekpleisters van de stad.

De Ciudad de las Artes y las Ciencias (Stad van Kunst en Wetenschappen) bestaat uit verschillende gebouwen, elk met een andere functie en een eigen stijl. Deze gebouwen zijn het Hemisfèric, het Wetenschapsmuseum Príncipe Felipe, het Oceanogràfic, het Palacio de las Artes Reina Sofía en het Ágora.

Het Hemisféric is een gebouw in de vorm van een oog. Het was het eerste gebouw van het complex dat opengesteld werd voor het publiek. Binnen is er een bioscoop met een groot gebogen scherm van 900 m^2.

Het Wetenschapsmuseum Príncipe Felipe is een museum dat gewijd is aan wetenschap, technologie en milieu. Het heeft een oppervlakte van meer dan 20.000 m^2 voor tentoonstellingen.

Het Palacio de las Artes Reina Sofía is het operagebouw van Valencia. Het is een werk van de architect Santiago Calatrava, die de hoofdverantwoordelijke is voor het ontwerp van de Ciudad de las Artes y las Ciencias.

La paella
EL PLATO ESTRELLA

p. 50-51

Paella
THE MOST FAMOUS DISH

Paella is undoubtedly one of the most well-known dishes from the Region of Valencia. The original recipe for this rice dish includes eel, snails and green beans. Nowadays, there are a million different versions.

What is and isn't considered as paella is a hot debate. Although most people agree on what a genuine paella should be, many variations exist even within the Region of Valencia itself. "Paella" can be found in almost every restaurant in Spain, but the differences between them can be enormous.

Valencia - the home of paella - has an enormous range of high-quality and affordable restaurants. This city is home to some of the best *arrocerías* (rice dish restaurants) in the country.

Paella is a typical dish in the Mediterranean diet. The basic foods in this diet are fruit, vegetables, legumes, nuts, wheat, olive oil as the main source of fat and vinegar.

To prepare a paella, you need a paella pan. A paella pan is an iron or steel pan with two or more small handles. They are very wide but not very deep.

La paella
LE PLAT ROI

L'un des plats les plus fameux de la Communauté valencienne est, sans aucun doute, la paella. Il s'agit d'un plat à base de riz qui, dans sa recette originale, contient aussi de l'anguille, des escargots et des haricots verts. Aujourd'hui, il existe une infinité de versions de la paella.

Ce qui constitue et ce qui ne constitue pas une paella est une question controversée. Bien que la plupart des gens soit d'accord sur la manière de préparer l'authentique paella, il existe des variations y compris au sein de la Communauté valencienne. Dans de nombreux restaurants de toute l'Espagne, on peut trouver de la « paella », mais les différences entre les unes et les autres peuvent être énormes.

Valence, le pays de la paella, offre un immense choix de restaurants de grande qualité à des prix raisonnables. Dans cette ville, vous pouvez trouver quelques-uns des meilleurs restaurants à riz du pays.

La paella est un plat typique du régime méditerranéen. Les aliments de base de ce régime sont les fruits, les légumes verts, les légumes secs, les fruits secs, le blé, l'huile d'olive comme principale matière grasse et le vinaigre.

Pour élaborer une paella, vous avez besoin d'une *paellera*. La paellera est une poêle en fer ou en acier, dotée de deux petites poignées ou davantage. Elle possède une grande surface et est peu profonde.

Die Paella
DER STAR UNTER DEN GERICHTEN

Eins der berühmtesten Gerichte der Valencianischen Gemeinschaft ist zweifelsohne die Paella. Es ist ein Reisgericht, dessen Originalrezept Aal, Schnecken und grüne Bohnen enthält. Heutzutage existieren unzählige Variationen der Paella.

Was eine richtige Paella ausmacht und was nicht, ist ein umstrittenes Thema. Obwohl ein gewisses Einvernehmen darüber besteht, wie eine echte Paella sein sollte, existieren selbst in der Valencianischen Gemeinschaft Variationen. In ganz Spanien kann man in vielen Restaurants „Paella" finden, diese können allerdings erhebliche Unterschiede aufweisen.

Valencia ist die Heimatstadt der Paella und bietet eine sehr große Auswahl an guten Restaurants mit angemessenen Preisen. In dieser Stadt findest du einige der besten *arrocerías* (auf Reisgerichte spezialisiertes Restaurant) des Landes.

Die Paella ist ein typisches Gericht der Mittelmeerküche. Die Grundnahrungsmittel dieser Ernährungsweise sind Früchte, Gemüse, Hülsenfrüchte, Schalenfrüchte, Weizen, Olivenöl als hauptsächliche Fettquelle und Essig.

Um eine Paella zuzubereiten braucht man eine Paellapfanne. Die Paellapfanne ist eine Pfanne aus Eisen oder Stahl mit zwei oder mehr kleinen Henkeln. Sie ist sehr flach und hat einen großen Durchmesser.

De paella
HET STERGERECHT

Een van de beroemdste gerechten van de regio Valencia is, zonder twijfel, de paella. Het is een gerecht op basis van rijst waarbij in het originele recept ook paling, slakken en sperziebonen gebruikt worden. Er zijn momenteel oneindig veel versies van paella.

Wat wel en wat geen paella genoemd mag worden, is een controversieel onderwerp. Hoewel er enige consensus bestaat over hoe de echte paella moet zijn, bestaan er zelfs binnen de regio Valencia variaties. In veel restaurants in heel Spanje kun je "paella" bestellen, maar de verschillen tussen de een en de ander kunnen enorm zijn.

Valencia, het land van de paella, kent een enorm aanbod aan restaurants met een hoge kwaliteit en redelijke prijzen. Deze stad herbergt enkele van de beste "arrocerías" (rijstrestaurants) in het land.

Paella is een typisch gerecht van het mediterrane dieet. De basisvoedingsmiddelen van dit dieet zijn fruit, groenten, peulvruchten, noten, tarwe, olijfolie als belangrijkste vet en azijn.

Om een paella te kunnen maken, is een paellapan noodzakelijk. Dit is een ijzeren of stalen pan met twee of meer kleine handvatten. De pan is ondiep en heeft een groot oppervlak.

¡Comparte tus fotos y vídeos de la ciudad!

#undiaenvalencia

Audios y soluciones de las actividades en
difusion.com/valencia.zip

¿Quieres leer más?

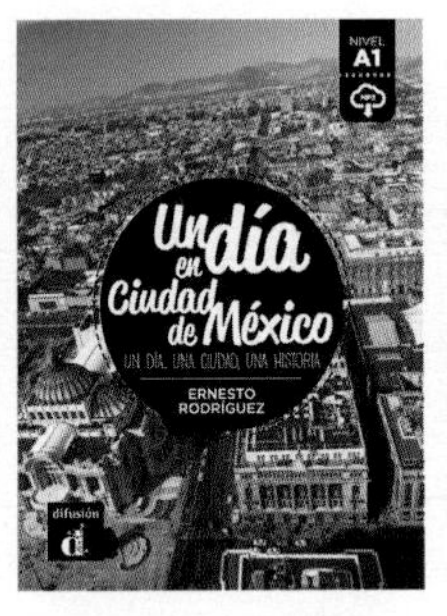